UMA MÃE HEBREIA PROTEGEU SEU BEBÊ E, QUANDO NÃO PÔDE MAIS ESCONDÊ-LO, COLOCOU-O EM UM CESTO E PÔS O OBJETO EM UM RIO, NA ESPERANÇA DE QUE ALGUÉM ENCONTRASSE E SALVASSE A CRIANÇA. O CESTO FLUTUOU NAS ÁGUAS ATÉ CHEGAR PRÓXIMO AO PALÁCIO DO FARAÓ.

A FILHA DO FARAÓ ESTAVA TOMANDO BANHO NESSE RIO QUANDO AVISTOU O CESTO. AO VER O BEBÊ, ELA SENTIU COMPAIXÃO E PERCEBEU QUE ELE ERA HEBREU.

A IRMÃ DO MENINO, QUE ACOMPANHOU DE LONGE O CESTO NA ÁGUA, APROXIMOU-SE E SUGERIU QUE UMA HEBREIA PODERIA CUIDAR DO BEBÊ. ASSIM, A CRIANÇA FOI CRIADA PELA PRÓPRIA MÃE. QUANDO O MENINO FICOU MAIOR, FOI DEVOLVIDO PARA A PRINCESA, E ELA DEU-LHE O NOME DE MOISÉS, QUE SIGNIFICA "RETIRADO DAS ÁGUAS".

EM CERTA OCASIÃO, JÁ ADULTO, MOISÉS FOI ACUSADO DE UM CRIME E TEVE DE FUGIR DO EGITO. LONGE DALI, ELE PASSOU A VIVER UMA VIDA SIMPLES, COMO PASTOR DOS REBANHOS DE UM HOMEM CHAMADO JETRO, E SE CASOU COM A FILHA DESSE HOMEM.

UM DIA, PASTOREANDO O REBANHO DO SOGRO, MOISÉS CHEGOU AO MONTE HOREBE. LÁ, O ANJO DO SENHOR APARECEU AO HOMEM EM UMA SARÇA, UM TIPO DE ARBUSTO, QUE QUEIMAVA NO FOGO, MAS NÃO SE CONSUMIA. MOISÉS FICOU CURIOSO E SE APROXIMOU PARA VER DE PERTO.

DA SARÇA, VEIO UMA VOZ QUE CHAMOU POR MOISÉS E PEDIU QUE ELE NÃO SE APROXIMASSE E QUE TIRASSE AS SANDÁLIAS DOS PÉS, POIS AQUELA TERRA ERA SANTA.
A VOZ DISSE: "EU SOU O DEUS DE TEU PAI, O DEUS DE ABRAÃO, O DEUS DE ISAQUE E O DEUS DE JACÓ". E MOISÉS ESCONDEU O ROSTO, PORQUE TEMEU OLHAR PARA DEUS.

O SENHOR PEDIU A MOISÉS QUE LIVRASSE O POVO HEBREU DA ESCRAVIDÃO NO EGITO, LEVANDO-O PARA UM TERRA BOA. MOISÉS SENTIU MEDO, MAS OBEDECEU A DEUS; PARTIU PARA O EGITO E FOI AO FARAÓ PEDIR, EM NOME DO SENHOR, QUE OS HEBREUS FOSSEM LIBERTOS. O FARAÓ NÃO ACEITOU E, POR VINGANÇA, AUMENTOU O TRABALHO E OS CASTIGOS DOS HEBREUS.

MOISÉS AINDA VOLTOU OUTRAS VEZES PARA FALAR COM O FARAÓ, QUE NÃO MUDOU DE IDEIA. ENTÃO, DEUS ENVIOU DEZ PRAGAS PARA AFLIGIR OS EGÍPCIOS. MESMO ASSIM, O FARAÓ SÓ ACEITOU DEIXAR OS HEBREUS IREM EMBORA DEPOIS DA DÉCIMA PRAGA, QUE CAUSOU A MORTE DE TODOS OS PRIMOGÊNITOS DO EGITO, MENOS OS HEBREUS.